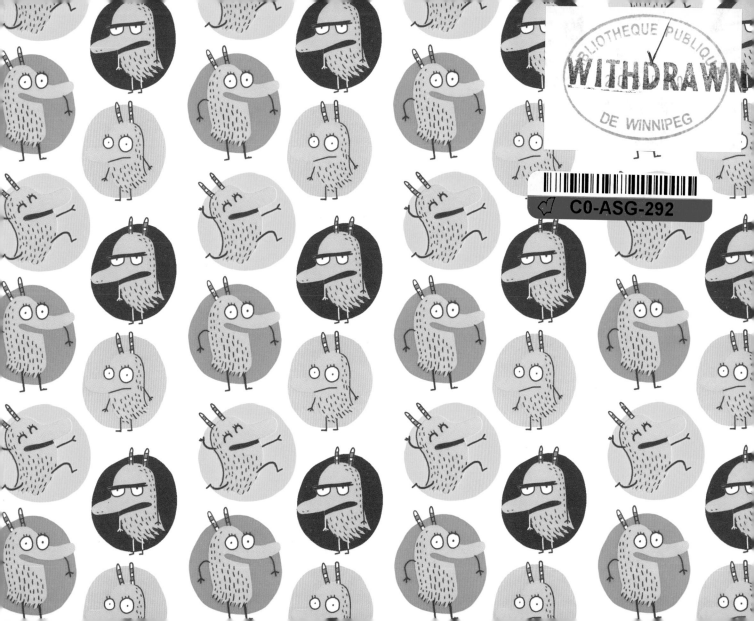

Pour Léo,
mon petit monstre blond.

Groupe d'édition la courte échelle
Division la courte échelle
4388, rue Saint-Denis, bureau 315
Montréal (Québec) H2J 2L1
www.courteechelle.com

Révision: Hélène Ricard

Dépôt légal, 4e trimestre 2013
Bibliothèque nationale du Québec

Le Groupe d'édition la courte échelle reconnaît l'aide financière du gouvernement du Canada pour ses activités d'édition. Le Groupe d'édition la courte échelle est aussi inscrit au programme de subvention globale du Conseil des arts du Canada et reçoit l'appui du gouvernement du Québec par l'intermédiaire de la SODEC.

Le Groupe d'édition la courte échelle bénéficie également du Programme de crédit d'impôt pour l'édition de livres — Gestion SODEC — du gouvernement du Québec.

Financé par le
gouvernement
du Canada | Canada

Catalogage avant publication de Bibliothèque et Archives nationales du Québec et Bibliothèque et Archives Canada

Gravel, Elise
Adopte un gnap!

Pour enfants de 6 ans et plus.

ISBN 978-2-89695-267-0

I. Titre.

PS8563.R387A36 2013   jC843'.6   C2013-941148-8
PS9563.R387A36 2013

Imprimé en Malaisie

ADOPTE un GNAP

par Elise Gravel

la courte échelle

Tu cherches un nouvel ami? Tu aimerais sûrement faire connaissance avec

LE GNAP.

Le gnap est un monstre plutôt ÉTRANGE.

Les bébés gnaps se développent dans les flaques de boue. Quand ils sont prêts à éclore, ils en sortent dans une grosse

BULLE.

Si tu trouves un bébé gnap, tu peux l'apprivoiser. C'est **FACILE!**

1 Lance-lui des petits bouts de fromage (les gnaps ADORENT le fromage).

2 Quand il s'approche, gratte-le doucement entre les oreilles.

Et voilà!

Si tu ramènes ton gnap
à la maison, assure-toi de lui
préparer un lit. Les gnaps ont
besoin de beaucoup de sommeil.
S'ils ne dorment pas assez,
ils deviennent grognons et,
crois-moi, tu ne veux pas
d'un gnap grognon.

BLEEEHHH

1 Trouve un grand bol à salade et remplis-le de boue.	**2** Dépose-le près de ton lit.

3 Plus ton gnap grandira, plus tu auras besoin d'un grand bol.	**4** Certains gnaps ont carrément besoin d'une piscine de boue!

En apprenant à mieux connaître ton gnap, tu feras des découvertes intéressantes:

Ses yeux brillent dans le noir.

Il ronronne quand il est content, comme un chat, mais BEAUCOUP plus fort.

PRRRR

Il ronfle.

RFLLRF

Il s'endort souvent dans des endroits bizarres.

RRFLZZZZ

Le gnap est très, très affectueux. Comme il est toujours un peu boueux, ne porte pas tes plus beaux habits pour jouer avec lui.

Si tu ne t'occupes pas bien de ton gnap, il peut prendre de

MAUVAISES HABITUDES.

Voici certains mauvais comportements que ton gnap peut adopter :

Manger tes devoirs

Faire des crottes sur le tapis

GRUMT
GLOUPS

Dire des gros mots

Pipi PROUT!

Se moucher dans ton pantalon

Vider les poubelles

Dessiner sur les murs

Les gnaps adorent tout ce qui est doux et poilu. Quand ils s'ennuient, ils peuvent voler toutes les choses douces qu'ils trouvent dans la maison et les dissimuler dans leur cachette secrète.

CACHETTE SECRÈTE

Si tu veux faire plaisir à ton gnap, offre-lui un toutou très doux.

PRENDRE SOIN DE TON GNAP

Les gnaps demandent beaucoup de soins, alors si tu n'es pas une personne patiente, n'en adopte pas!

Gnap qui a des POUX →

Par contre, si tu en prends bien soin, tu seras très fier de lui.

Les gnaps adorent les

SPORTS.

Pour garder ton gnap en bonne santé, emmène-le à la piscine chaque semaine.

Assure-toi que la piscine de ton quartier accepte les monstres, et fais-lui d'abord prendre une douche. La majorité des gens n'aiment pas se baigner dans l'eau

BOUEUSE.

Certains gnaps sont **D'EXCELLENTS**

danseurs de ballet...

skieurs...

karatékas...

Ils sont aussi très doués pour faire des crises de colère.

Si ton petit gnap fait une crise de colère, tu peux l'aider à se calmer en lui faisant un gros câlin, en lui parlant doucement, ou en l'enveloppant dans une couverture douce et en le

BERÇANT.

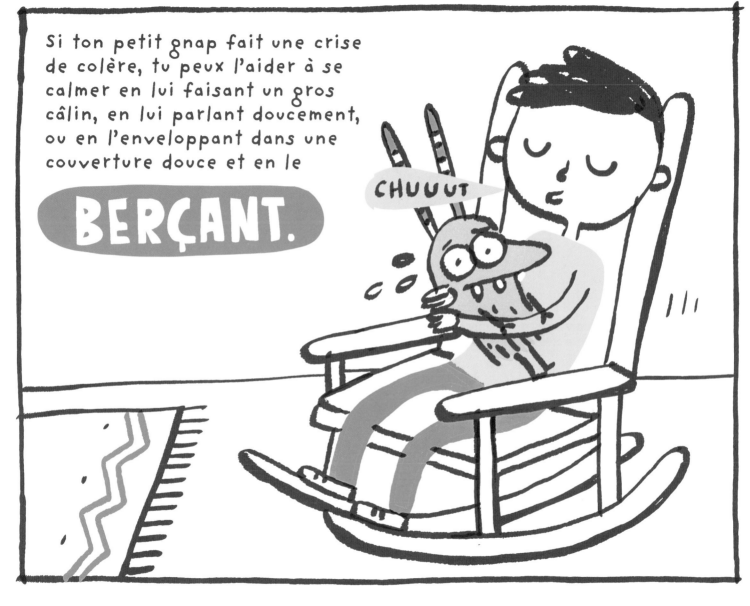

Le gnap a de longs poils qui peuvent s'emmêler facilement. Pour maintenir sa fourrure belle et en santé, tu dois le brosser tous les jours et l'emmener chez le coiffeur de temps en temps.

Le gnap est facile à nourrir: il aime tout ce qui est préparé avec du
FROMAGE.
Macaroni au fromage
Mille-pattes au fromage
Vieux mouchoirs au fromage

Les gnaps mangent énormément, et ils peuvent devenir très grands et très gros. Voici le plus gros gnap du monde: il mesure 6 mètres et pèse 500 kilos. Il vit en Norvège.

Et voici, son maître, BjØrn Ødegård.

Comment rendre ton gnap

HEUREUX

Tu ne t'ennuieras jamais
avec ton gnap, parce que
les gnaps adorent jouer.
Voici quelques activités
pour amuser ton gnap:

POUEET!

LES COSTUMES. Les gnaps ADORENT se déguiser.

GNAP
PRINCESSE

GNAP
VAMPIRE

GNAP
ABEILLE

GNAP
POUBELLE

Les gnaps adorent jouer de la flûte.
Certains gnaps sont devenus très célèbres
pour leurs magnifiques compositions,
et ont pu voir leur photo dans le

Malheureusement, le gnap adore aussi rugir. Il rugit juste pour le plaisir d'entendre sa jolie voix. Il aime rugir...

Dans la rue	À la bibliothèque	En pleine nuit

LE GNAP AIME AUSSI:

Cueillir des champignons	Aller au cinéma	Dessiner des moustaches aux célébrités dans les magazines.

Il arrive parfois que le gnap tombe

AMOUREUX.

Quand un gnap est amoureux, il se met souvent beaucoup trop de parfum, il fait le pitre et il fait bouffer ses poils pour impressionner sa douce.

Les gnaps peuvent être embêtants parfois, mais la plupart du temps, ils adorent nous aider.

Ils nous font des câlins quand on s'ennuie...

Ils protègent la maison contre les voleurs...

Ils peuvent même faire la vaisselle...

Alors, si tu as envie d'un adorable compagnon, remplis tes poches de fromage, attends une bonne journée de pluie...

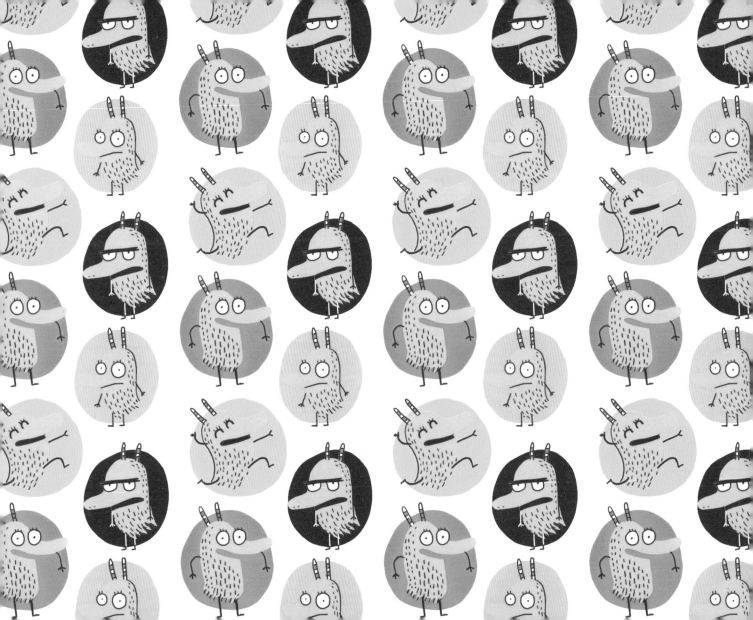